Conception graphique de la couverture : S A J E

Crédits photographiques :
Rabat gauche : (haut) © S. Beau ; (bas) © L. Méhée
"Boîte aux trésors" : © iStock/Thinkstock

 IMPRIM'VERT®

Imprimé en France par SEPEC à Péronnas
N° d'imprimeur : 01662140951 - Dépôt légal : octobre 2014
N° d'édition : 70119185-01

Sandrine Beau - Loïc Méhée

Le petit monde de Simon

son chat
patapon

simon

sa
maman

Moi, c'est Simon.

Et lui, c'est **mon chat** Patapon.

Mais maman l'appelle «le cachalot»!

Car il est gros, très gros!

Mon chat-cachalot n'a pas peur de l'eau.

Le soir, on prend **notre bain** tous les deux !

La **nuit**, mon chat-cachalot
dort sur mon lit.

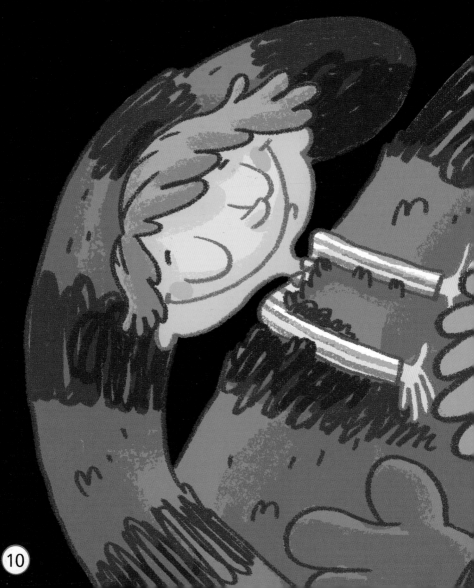

Il vient se blottir contre moi.
Et je n'ai plus jamais froid
avec ma bouillotte à moustaches !

Le matin, je grimpe sur le dos
de mon chat-cachalot...

Yiiihaa! On dévale l'escalier.

Et je suis le premier arrivé

pour le **petit déjeuner**.

L'après-midi, je vais jouer **au parc** avec mon chat-cachalot.

Si on croise le chien

de madame Rouspette…

il change de trottoir illico !

Et si un grand veut me piquer **mon goûter**...
mon chat-cachalot fait le gros dos !

Ah oui, avoir un chat-cachalot,
c'est vraiment rigolo !

Le problème, c'est **maman**.
Avec mon chat-cachalot,
elle ne rit pas tout le temps…

Quand maman s'installe sur le canapé,
mon chat-cachalot vient se faire
câliner…

Et maman est toute ratatinée !

Quand mon chat-cachalot
fait ron-ron…

Maman se bouche **les oreilles** aussitôt !

Quand mon chat-cachalot a bien bu
et qu'il se gratte la tête...

C'est **douche** gratuite

pour tout le monde !

Et puis mon chat-cachalot
a beaucoup d'appétit.

Maman doit faire livrer ses croquettes par **bateau**.

Alors, oui, avoir un chat-cachalot,

c'est un peu **compliqué** !

Mais comme maman me le dit souvent :

« Simon, tu as trop d'imagination,

mon chaton ! »

Mission : «J'ai tout compris»

❶ Une drôle de tête !

Trouve l'expression de chaque personnage !

a. La peur

b. La joie

c. La colère

d. L'étonnement

❷ Méli-mélo

À quelles images correspondent les phrases ?

a. Mon chat-cachalot n'a pas peur de l'eau.

b. Je grimpe sur le dos de mon chat-cachalot.

c. Je vais jouer au parc avec mon chat-cachalot.

d. Avoir un chat-cachalot, c'est vraiment rigolo !

Solutions : 1. 1-c, 2-d, 3-b, 4-a. 2. a-1, b-4, c-3, d-2.

3 Cherche et trouve

Cherche dans le dessin les mots commençant
par la lettre « t ».

4 Devine qui a dit ça !

2

Le soir, on prend notre bain
tous les deux.

1 Patapon, je l'appelle
« le cachalot »,
car il est très gros !

Quand Patapon fait ron-ron,
je me bouche les oreilles aussitôt !

3

La nuit, il vient
se blottir contre moi.

4

Mission : « J'ai tout bien lu »

❶ Chat caché !

Dans quels mots de la liste entend-on le son « cha »
comme dans « cachalot » ?

charabia   chocolat   cache-cache

béchamel   chameau   chapeau

❷ Les deux font la paire !

Remets les lettres dans l'ordre, puis relie-les aux bons mots.

a. n i h c e
b. l a n b l o
c. b a l o v a
d. l u p i r e a p a

lavabo
1

ballon
2

parapluie
3

chien
4